# Învăț să citesc!

# Turtița fermecată

poveste populară

**ÎNVAȚĂ SĂ CITEŞTI ÎN 5 PAŞI!**

**1.** Citeşte cu voce tare cele 30 de cuvinte alăturate.
**2.** Caută abțibildul potrivit pentru fiecare şi lipeşte-l în dreptul cuvântului.
**3.** Verifică dacă ai învățat cuvintele noi: ştii cu ce cuvânt se poate înlocui fiecare imagine-indiciu din poveste?
**4.** Citeşte textul scris cu litere mari pe paginile din stânga.
**5.** Acum încearcă să citeşti şi textul scris cu litere mari şi mici pe paginile din dreapta. Când nu ştii un cuvânt, ajută-te de textul scris cu litere mari!

TRĂIAU ODATĂ UN  ŞI  O .

ÎNTR-O ZI,  I-A FĂCUT  O .

A FRĂMÂNTAT FĂINĂ CU , APOI

A PUS ALUATUL ÎN .

DUPĂ O VREME,  S-A COPT. ERA

O  RUMENĂ ŞI FRUMOASĂ.

 A LĂSAT-O LA , SĂ SE

RĂCEASCĂ.

Trăiau odată un moş şi o babă.

Într-o zi, baba i-a făcut moşului o turtiță.

A frământat făină cu apă, apoi a pus aluatul în cuptor.

După o vreme, turtița s-a copt. Era o turtiță rumenă şi frumoasă.

Baba a lăsat-o la fereastră, să se răcească.

 S-A AŞEZAT LA .

AŞTEPTA CA  SĂ FIE NUMAI

BUNĂ DE MÂNCAT.

DEODATĂ,  A SĂRIT ŞI A ÎNCEPUT

SĂ CÂNTE:

*SUNT*  *RUMENITĂ,*

*ÎN*  *PLĂMĂDITĂ,*

*PE*  *M-AM RĂCIT*

*ŞI DE*  *EU AM FUGIT.*

Moşul s-a aşezat la masă.

Aştepta ca turtiţa să fie numai bună de mâncat.

Deodată, turtiţa a sărit şi a început să cânte:

*Sunt turtiţa rumenită,*

*În covată plămădită,*

*Pe fereastră m-am răcit*

*Şi de moş eu am fugit.*

 S-A ROSTOGOLIT VESELĂ PE

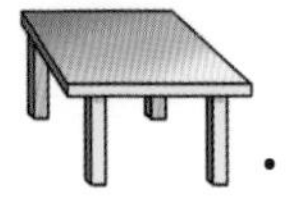.

DE PE , A SĂRIT PE

.

APOI S-A DAT DE-A DURA SPRE .

CÂND A AJUNS LA , A SĂRIT

AFARĂ, ÎN CURTE.

Turtița s-a rostogolit veselă pe masă.

De pe masă, turtița a sărit pe podea.

Apoi s-a dat de-a dura spre uşă.

Când a ajuns la uşă, a sărit afară, în curte.

 DE  ȘI  AU FUGIT

SPERIAȚI DIN CALEA .

 A IEŞIT PE :

– OARE ÎN CE PARTE SĂ O IAU?

Puişorii de găină și câinele au fugit speriați din calea turtiței.

Turtița a ieşit pe poartă:

— Oare în ce parte să o iau?

 S-A DAT DE-A DURA PÂNĂ ÎN

.

ÎN , A MERS PE O .

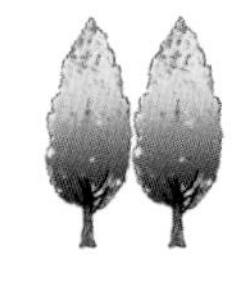 DEVENEAU TOT MAI DEŞI.

 CÂNTA CÂT O ȚINEA 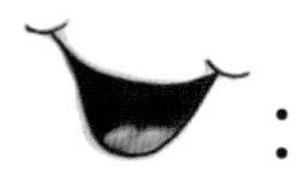:

*SUNT*  *RUMENITĂ,*

*ÎN*  *PLĂMĂDITĂ.*

Turtița s-a dat de-a dura până în pădure.

În pădure, a mers pe o cărare.

Copacii deveneau tot mai deşi.

Turtița cânta cât o ținea gura:

*Sunt turtița rumenită,*

*În covată plămădită.*

UN  A ÎNCEPUT SĂ SE MIŞTE.

 S-A OPRIT SĂ SE UITE.

DEODATĂ, UN  A SĂRIT PE .

 A RIDICAT O 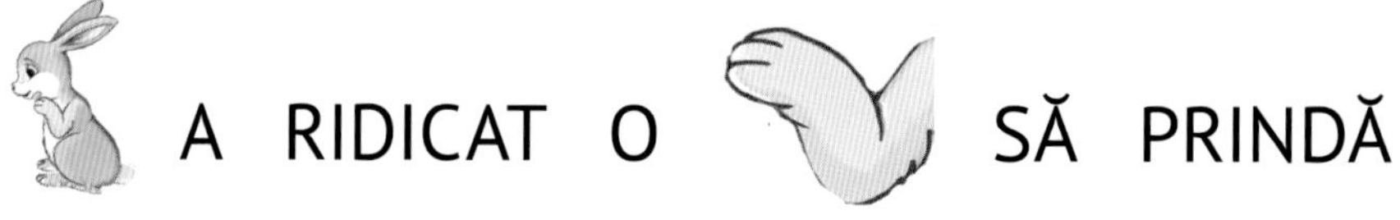 SĂ PRINDĂ

:

—  RUMENITĂ, AM SĂ TE

MĂNÂNC!

— MAI-NAINTE, STAI SĂ-ȚI CÂNT!

Un tufiş a început să se mişte.

Turtița s-a oprit să se uite.

Deodată, un iepuraş a sărit pe cărare.

Iepuraşul a ridicat o lăbuță să prindă turtița:

— Turtiță rumenită, am să te mănânc!

— Mai-nainte, stai să-ți cânt!

 A ÎNCEPUT SĂ ȚOPĂIE:

*ÎN*  *M-AM RUMENIT,*

*PE*  *EU L-AM PĂCĂLIT.*

 *, RĂMÂI CU BINE!*

*NU PUI*  *PE MINE!*

APOI A DISPĂRUT ÎN , RÂZÂND.

Turtița a început să țopăie:

*În cuptor m-am rumenit,*

*Pe moş eu l-am păcălit.*

*Iepuraş, rămâi cu bine!*

*Nu pui lăbuța pe mine!*

Apoi a dispărut în iarbă, râzând.

 S-A PIERDUT PRINTRE 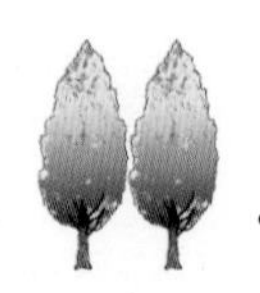.

DUPĂ O VREME, A DAT NAS ÎN NAS

CU UN .

 ERA GATA-GATA SĂ PUNĂ 

PE EA:

–  RUMENITĂ, AM SĂ TE

MĂNÂNC!

– MAI-NAINTE, STAI SĂ-ȚI CÂNT!

Turtița s-a pierdut printre copaci.

După o vreme, a dat nas în nas cu un lup.

Lupul era gata-gata să pună lăbuța pe ea:

— Turtiță rumenită, am să te mănânc!

— Mai-nainte, stai să-ți cânt!

ŞI  A ÎNCEPUT DIN NOU SĂ

ȚOPĂIE:

*ÎN  M-AM RUMENIT,*

*PE  EU L-AM PĂCĂLIT*

*ŞI DE  -AM FUGIT.*

*NU MĂ PRINZI NICI TU PE MINE,*

*CĂ NU MI-E FRICĂ DE TINE!*

Şi turtița a început din nou să țopăie:

*În cuptor m-am rumenit,*

*Pe moş eu l-am păcălit*

*Şi de iepure-am fugit.*

*Nu mă prinzi nici tu pe mine,*

*Că nu mi-e frică de tine!*

PÂNĂ SĂ O ÎNHAȚE , 

A DISPĂRUT. S-A ROSTOGOLIT MAI

DEPARTE PRINTRE .

 ERA TOT MAI ÎNTUNECOASĂ.

DEODATĂ,  S-A ÎNTÂLNIT CU .

— RUMENIȚĂ, AM SĂ TE

MĂNÂNC!

— MAI-NAINTE, STAI SĂ-ȚI CÂNT!

Până să o înhațe lupul, turtița a dispărut.

S-a rostogolit mai departe printre copaci.

Pădurea era tot mai întunecoasă.

Deodată, turtița s-a întâlnit cu ursul.

— Turtiță rumenită, am să te mănânc!

— Mai-nainte, stai să-ți cânt!

 A ÎNCEPUT IAR SĂ ȚOPĂIE:

 *A RĂMAS FLĂMÂND,*

 – *CĂUTÂND,*

 – *TARE SUPĂRAT,*

*IAR*  – *TOT NEMÂNCAT!*

Turtița a început iar să țopăie:

*Moşul a rămas flămând,*

*Iepurele – căutând,*

*Lupul – tare supărat,*

*Iar ursul – tot nemâncat!*

PÂNĂ SĂ SE DUMIREASCĂ , 

S-A FĂCUT NEVĂZUTĂ.

S-A ROSTOGOLIT DIN  ÎN .

 I-A PIERDUT REPEDE URMA.

BUCUROASĂ,  A INVENTAT ALT

CÂNTECEL:

*SUNT*  *CEA GUSTOASĂ*

*ŞI DE NIMENI NU ÎMI PASĂ!*

Până să se dumirească ursul, turtița s-a făcut nevăzută.

S-a rostogolit din tufiş în tufiş.

Ursul i-a pierdut repede urma.

Bucuroasă, turtița a inventat alt cântecel:

*Sunt turtița cea gustoasă*

*Şi de nimeni nu îmi pasă!*

 A MERS MAI DEPARTE PE

 DIN .

PÂNĂ ACUM, REUŞISE SĂ PĂCĂLEASCĂ

TOATE ANIMALELE .

DEODATĂ, PE  A APĂRUT O .

 A ÎNCEPUT SĂ-I DEA TÂRCOALE

.

Turtița a mers mai departe pe cărarea din pădure.

Până acum, reuşise să păcălească toate animalele pădurii.

Deodată, pe cărare a apărut o vulpe.

Vulpea a început să-i dea târcoale turtiței.

– CE FRUMOASĂ ŞI RUMENĂ!

– VAI, MULŢUMESC! DAR AM ŞI O

VOCE MINUNATĂ!

DĂDEA DIN .

– VREI SĂ MĂ AUZI CUM CÂNT? A

ÎNTREBAT .

– DRAGĂ , EU SUNT BĂTRÂNĂ

ŞI CAM SURDĂ... N-AI VREA SĂ MI TE

URCI PE , SĂ TE AUD MAI BINE?

– Ce turtiță frumoasă şi rumenă!

– Vai, mulțumesc! Dar am şi o voce minunată!

Vulpea dădea din coadă.

– Vrei să mă auzi cum cânt? a întrebat turtița.

– Dragă turtiță, eu sunt bătrână şi cam surdă... N-ai vrea să mi te urci pe bot, să te aud mai bine?

— BA CUM SĂ NU! A RĂSPUNS .

 A SĂRIT PE  .

APOI A ÎNCEPUT SĂ CÂNTE ÎN 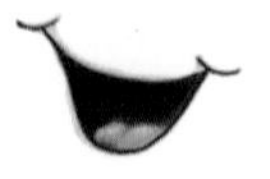

MARE, LA  VULPII:

*SUNT*  *RUMENITĂ...*

 A OPRIT-O REPEDE.

— OF, 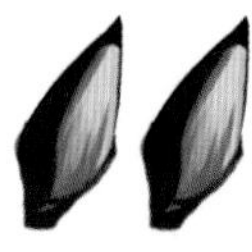 MELE! POATE DACĂ TE

APROPII MAI MULT... UITE, STAI PE

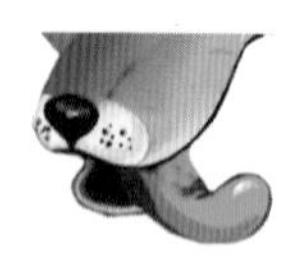 MEA!

— Ba cum să nu! a răspuns turtița.

Turtița a sărit pe botul vulpii.

Apoi a început să cânte în gura mare, la urechea vulpii:

*Sunt turtița rumenită...*

Vulpea a oprit-o repede.

— Of, urechile mele! Poate dacă te apropii mai mult... Uite, stai pe limba mea!

ÎNCREZĂTOARE,  S-A AŞEZAT PE

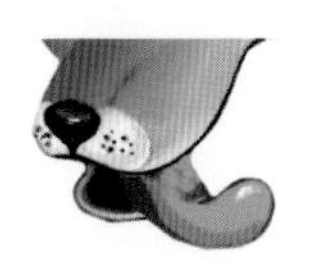 .

ŞI CUM CÂNTA EA MAI CU ,

 CEA VICLEANĂ... HAP!... A

ÎNGHIȚIT-O PE LOC!

Încrezătoare, turtița s-a aşezat pe limba vulpii.

Şi cum cânta ea mai cu foc, vulpea cea vicleană...

hap!... a înghițit-o pe loc!

# CRISPS AND STUFF

Philippa Bateman



RISING STARS

"Can you come out?"
asked Maya.

"No. I have to help
Mum," said Beth.

"What do you have to do? Clean your room? Brush the carpet?" asked Maya.

“Yes. I have to pick stuff up and put it back,” said Beth.

I have to put the books on the shelf and put stuff in my trunk.

I just crept out and left my mess!

Can you help me?

"Yes. But let's not spend too long on it," said Maya.

"Trust me, we'll blast it!" said Beth.
"Don't just stand there!"

GRUNT!
STAMP!

“Thank you! It’ll look brand new,” said Beth.

I'll stuff the rest in this trunk!

I'll get us a drink
and a snack.

Have you got crisps too?

Later on ...

Let's start again!